LES AVENTU

BÉBÉ SUPER-COUCHE

LE PREMIER ROMAN EN BANDES DESSINÉES DE GEORGES BARNABÉ ET HAROLD HÉBERT, CRÉATEURS DU CAPITAINE BOBETTE

Texte français de Grande-Allée Translation Bureau

Éditions SCHOLASTIC

Pour ma mère et mon père
— G.R.B.

Pour maman et Heidi
— H.M.H.

Avis aux parents et enseignants

Les fôtes d'ortograf dent les BD de Georges et Harold son vous lues.

Titre original : The Adventures of Super Diaper Baby
ISBN 0-7791-1632-1 pour l'édition originale
ISBN 978-1-4431-0967-3 pour l'édition 2010

Édition publiée par les Éditions Scholastic,
604, rue King Ouest, Toronto (Ontario) M5V 1E1.

6 5 4 3 2 Imprimé au Canada 121 10 11 12 13 14

L'ORIGINE DE BÉBÉ SUPER-COUCHE

Une introduction de Georges Barnabé et Harold Hébert

Il était une fois deux p'tits gars super appelés Georges et Harold.

Une fois, ils s'amusaient dans le gym à écrapoutir des sachets de ketchup avec leurs planches à roulettes.

C'était rigolo jusqu'à ce que leur méchant directeur, M. Bougon, arrive.

Passez à mon bureau quand vous aurez fini, les tarlas!

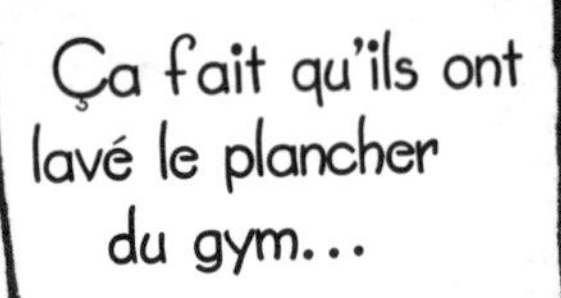

Normalement, je vous punirais en vous faisant copier des phrases… mais ça ne vous apprendrait rien.

Alors, vous allez écrire une composition de 100 pages sur ce qu'est un « bon citoyen ».

Et pas question de me remettre une bande dessinée de 100 pages sur le « capitaine Bobette ». C'EST IN-NACCEPTABLE!

Ah! Zut!

C'est pas juste.

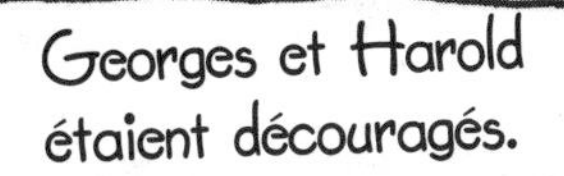

Puis, ils ont eu une idée géniale!

Alors ils sont retournés à la maison et ils se sont mis au boulot.

Le lendemain, ils ont remis leur « composition » de 100 pages.

...DONC...

Je ne ferai pas de bandes dessinées grossières.
Je ne ferai pas de bandes dessinées grossières.
Je ne ferai pas de bandes dessinées grossières.
Je ne ferai pas de bandes des

Je ne ferai pas de bandes dessinées grossières.
Je ne ferai pas de bandes dessinées grossières.
Je ne ferai pas de bandes dessinées grossières.
Je ne ferai pas de bandes dessinées grossières.
Je ne pas

LES AVENTURES DE
BÉBÉ SUPER-COUCHE
DE GEORGES BARNABÉ
ET HAROLD HÉBERT

TABLE DES MATIÈRES

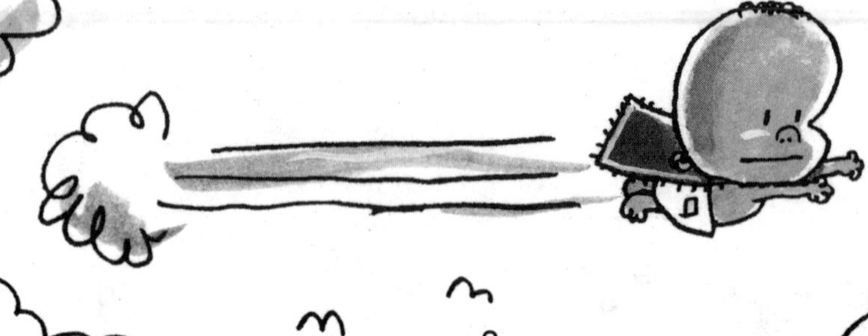

LES AVANT-TURES DU BÉBÉ SUPER-COUCHE

CHAPITRE 1

Un héros est né

L'histoire commence au moment
où une auto fil vers l'hôpital.
Pèse sur le champignon!
Je champignonne!

HÔPITAL

Allons-y!
OK

Garde, on va avoir un bébé!
Moi aussi!

Trait bien, mais je dois d'abord vous poser quelques questions.
OK.

Nom?
Euh, on n'a pas encore trouvé de nom.

Pas le nom du bébé! Votre nom!
Bob et Marie Héroux.

Âge?
Eh bien, zéro, j'imagine.

Pas l'âge du bébé!!! Votre âge!
Ah! 30 ans et demi.

Proffession?
Bien, il n'a pas encôr l'âge de travailler.

POUR L'AMOUR DU CIEL!

Mais...
avant de te
raconter cette
histoire-là,
il faut t'en
raconter
une autre.

Le shérif Sadique était très méchant et sans pitié.
J'suis diabolique aussi.

Le chien Crapule était très méchant itou.
Je ne suis pas vraiment diabolique. J'suis juste là pour la bouffe.
Hé, la ferme!

Ensemble, ils ont ouvert une buanderie pour bobettes. Mais c'était un PIÈGE!
NETTOYEUR AUX VIEILLES BOBETTES
On nettoie vos bobettes pendant que vous attendez
Bienvenue aux superhéros

Arriva bientôt le moment que le shérif Sadique attendait.
Tra-la-laaa!
NETTOYEUR AUX VIEILLES BOBE
Regarde qui ait là! C'est le capitaine Bobette!
Mon héros!

Puis là, le shérif Sadique a zapé le capitaine Bobette avec son « rayon super aspirateur de superpouvoirs 2000 ».

Qu'est-ce qui
s'est passez?
Je... je me sens faible.
C'est parce que j'ai pris
tes pouvoirs. Ha ha ha!

Regarde! Tes superpouvoirs
ont été transformés en jus.
On a juste à boire
ce jus pour avoir
des superpouvoirs!
Super!

Bois-en la moitié puis je vais
en boire la moitié. Ensuite,
on sera les mètres de l'univers.
OK
Glou
Glou
Glou

KA-POW

Hé, regarde-moi!
Je vole!!!

Maintenant, je vais boire le reste du jus pour superpouvoirs.

CRAC
POLICE

On a entendu quelqu'un lancer un « rayon super aspirateur de superpouvoirs 2000 » illégal.
POLICE
POLICE

Minute, le cow-boy!
Au secours, la police!
Ah non!
POLICE
POLICE

Le chien Crapule a brûlé un trou dans le mur avec son nouvel œil au laser.

ZAP

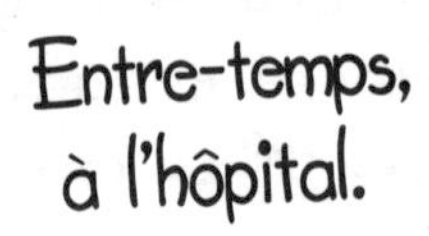
Entre-temps,
à l'hôpital.

POUSSE!

POP

Félicitassions!
C'est un garçon.

Maintenant, je dois lui donner la « fessée de vie ».
Tu pourrais pas lui donner une chance?

Pas question.
C'est une tradission.
Tous les docteurs le font.
Et un,
et deux,
et...
Trois.
Oups... excusez-la!
PAF
CRAC
Regardez c'que
vous avé fait!
Mon
BÉBÉ!
Hé,
je me suis
excusé, OK?

Au même moment,
le shérif Sadique
et le chien Crapule
volaient par là.
HÔ-
PIT-
AL
Arrêtez!

Han
Han
Han

PLOUF

GLOU
GLOU
GLOU
GLOU
GLOU
GLOU
Non, mais...

KA-POW

AVERTISSEMENT

Les pages suivantes contiennent des scènes où un bébé donne une baffe à un méchant.

Attendez-vous à être choqué...

Violanse esplicite

TOURNE-O-RAMA

Mode d'emploi :

Étape no 1

Plasse la main gauche sur la zone marquée « MAIN GAUCHE » à l'intérieur des pointillés. Garde le livre ouvert et bien à plat.

Étape no 2

Saisis la page de droite entre le pouce et l'index de la main droite (à l'intérieur des pointillés, dans la zone marquée « POUCE DROIT »).

Étape no 3

Tourne rapidement la page de droite dans les deux sens jusqu'à ce que les dessaints s'animent.

(Pour avoir encore plus de plaisir, tu peux faire tes propres effets son-ors!)

TOURNE-O-RAMA Nº 1

(pages 25 et 27)

N'oublie pas de tourner seulement
la page 25.

À sur-toi de voir les dessaints
aux pages 25 et 27
en tournant les pages.

Si tu les tournes assez vite,
les deux dessaints auront l'air
de ne faire qu'un.

N'oublie pas
de faire tes propres
effets son-ors!

Main gauche

Prends ça!

Pouce droit

Prends ça!

TOURNE-O-RAMA Nº 2

(pages 29 et 31)

N'oublie pas de tourner <u>seulement</u>
la page 29.

À sur-toi de voir les dessaints
aux pages 29 <u>et</u> 31
en tournant les pages.

Si tu les tournes assez vite,
les deux dessaints auront l'air
de ne faire <u>qu'un</u>.

N'oublie pas
de faire tes propres
effets son-ors!

Main gauche

... et ça!

... et ça!

TOURNE-O-RAMA Nº 3

(pages 33 et 35)

N'oublie pas de tourner seulement
la page 33.

À sur-toi de voir les dessaints
aux pages 33 et 35
en tournant les pages.

Si tu les tournes assez vite,
les deux dessaints auront l'air
de ne faire qu'un.

N'oublie pas
de faire tes propres
effets son-ors!

Main gauche

... et ça aussi!

... et ça aussi!

Wow! Ce bébé a arrêté un bandit. C'est un héros!
POLICE
POLICE
On est super!
aussi!
Pitou.
PROUT

Je suis infirmière!
Je suis infirmière!
POLICE
POLICE
SQUICH

Est-ce que ça va,
ti-bébé?
Pitou.
SQUACH

Je vais te mettre une couche,
jeune homme.
SNIF
SNIF

Allons rejoindre
ta maman et ton
papa en haut.
Meuman
Peupa

Ainsi s'est envolé Bébé Super-couche qui a été ré-unit avec sa maman et son papa.
HÔ-
PIT-
AL
Eh bien! On ne voit pas ça tous les jours.

Euh. J'espère que vous ne m'en voulé pas pour la p'tite tape. Hum.

TOURNE -O- RAMA N° 4

Main gauche

C'est tout oublié.

C'est tout oublié.

Aïe! Ouille! Ayoye!

On devrait lui donner mon nom, car c'est un dur à cuire comme moi.
Tu rêves.

Je te baptise « Bobby ».
Pourquoi pas Tête-à-clac?

M. et Mme Héroux sont donc retournés à la maison avec leur bébé Bobby.
HÔ-PIT-AL
Bye bye pitou.
POLICE
POLICE
POLICE
SQUICH

BÉBÉ SUPER-COUCHE

Le shérif Sadique et le chien Crapule sont allés droit en prison. Mais ils se sont thé-vadés.
PRISON MUNICIPALE
pour les méchants et les chiens.
CRAC
J'suis libre!
Hé!

Ils ont ensuite volé jusqu'à un laboratoire secret là-haut sur une montagne.
LABORATOIRE TOP SECRET

Je vais maintenant inventer une invenssion pour me venger!!!
Ouais, vas-y!

Le shérif Sadique a travaillé toute la nuit sur son berceau-bidon 2000MC.

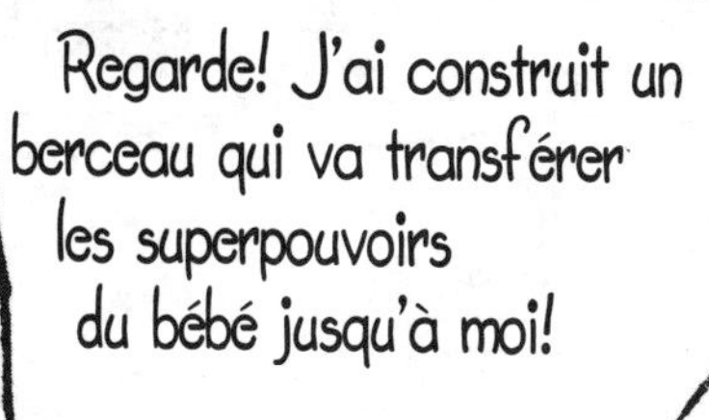
Regarde! J'ai construit un berceau qui va transférer les superpouvoirs du bébé jusqu'à moi!

À minuit, cette soucoupe à infrarouges va zaper les superpouvoirs du bébé!

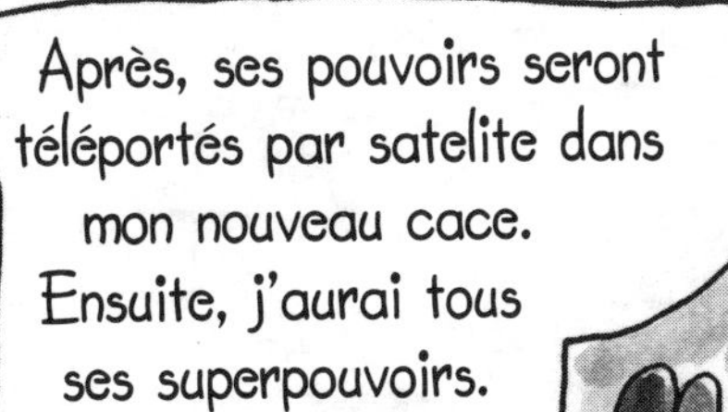
Après, ses pouvoirs seront téléportés par satelite dans mon nouveau cace. Ensuite, j'aurai tous ses superpouvoirs.

SATELITE
SOUCOUPE À INFRAROUGES
CACE DE TRANSFERT
ZAP
BERCEAU-BIDON 2000MC
BÉBÉ
MOI

Après, je serai le mètre du... Hé!
Z Z Z Z Z

Réveille!

Maintenant, il faut livrer ce berceau aux Héroux.
Quel berceau?

Écoute-moi donc, la prochaine fois!
Les Héroux
DRING DRING
Hein?

Je peux vous aider?
Bonjour. Je suis le shérif Sa... Euh... « Sécuritaire » et voici euuh... le chien « Prudent ».
Les Héroux
Ça va?

Vous venez de gagner ce berceau gratuit pour votre nouveau bébé!

Eh bien! Merci. C'est super!
Au revoir.

Cette nuit-là...

Bonne nuit, Bobby.
Dors bien dans ton nouveau berceau.

Entre-temps au laboratoire secret...
Cace de transfert
Han han han! Il est presque minuit. Je serai bientôt transformé!

MAIS

À 23 h 59, quelque chose dina-tendu est arrivé.
MEUMAN!

Qu'est-ce qu'il y a, mon coco?
Moi caca.

C'est pas grave. On va laisser ta couche sale dans le berceau, et je vais te donner un bon bain.

RRRRRR

ZAP

Où caca?
Je sais pas, Bobby. Il est disparu!
SSSSSS

Au même moment, le caca est téléporté jusqu'à un satelite.

Et renvoyé en deux temps trois mouvements sur la Terre.

... en plein dans le cace de transfert du shérif Sadique.

ZAP

?
Cace de transfert

Hé, qu'est-ce qui est arrivé?
Cace de transfert

Je, je ne me sens pas plus fort.
En tout cas, tu SENS plus fort!
SNIF SNIF

Comment es-tu devenu si GROS?
Regarde-toi donc dans le miroir.

Non, mais...
Je suis une crotte!
Non, mais...
Je suis une crotte!

Les nerfs... ça pourrait être pire.
J'ai été transformé en CROTTE!!! Comment est-ce que ça pourrait être pire?

T'aurais pu être transformé en diaré.
AH TAIS-TOI!

TOURNE-O-RAMA Nº 5

Main gauche

C'est pas vrai!!!

C'est pas vrai!!!

C'est pas vrai!
J'ai pilé sur du crotin!
C'es-tu
assez
fâchant

SCRATCH

Chien stupide
C'est ça,
blâme
le chien!
Déchets

Hé, shérif...
est-ce que ça va?
Déchets

JE DOIS...
Déchets

... ME...
Déchets

... VENGER!
Déchets

BÉBÉ SUPER-COUCHE

CHAPITRE 3

« V » pour vengeance

C'est vraiment à pic! Je ne sais pas si je vais me rendre.
On est mal pri?

On dirait bien... Ah, tais-toi donc!

Ne sois pas si pu-ant!

J'AI DIT LA FERME!

À la maison, est-ce qu'on va manger des caca-houètes?

JE VAIS TE TUUUUUUER!

De retour au laboratoire, le shérif Sadique commence une nouvelle invention.
RRRRR

Eh bien, chien Crapule, comment trouves-tu mon Robo-fourmi 2000?

Est-ce que je peux t'appeler shérif Crotteau?

AAAARGN!

Tu vas moins rire quand j'aurai détruit le monde, baquais.
Hi-hi

CRAC
LABORAT
TOP SEC
Hé! Attends!
Han
Han
Han

J'ai faim, shérif Crotteau. Où est ma bouffe?
Tu n'auras rien à manger si tu ne m'aides pas à détruire le monde.
Et cesse de m'appeler comme ça!

CRRR-
RAC
Venez magasiner, manger et boire au centre commercial. Dans les magasins, il y a des toilettes propres et de GRANDES VENTES!

ZAP
Venez
toilette

Hi-hi!
Allons-y!
Venez
boire
Dans les
toilettes

MAISON DE SANTÉ
SAINT-PETERSBOURG
On mise sur notre nourriture et nos soins.

HI-YAH!!!
CRAC
AIS
AINT
On mise
ON
PETE
sur notre
nourritur
S
RSBO
et nos soins

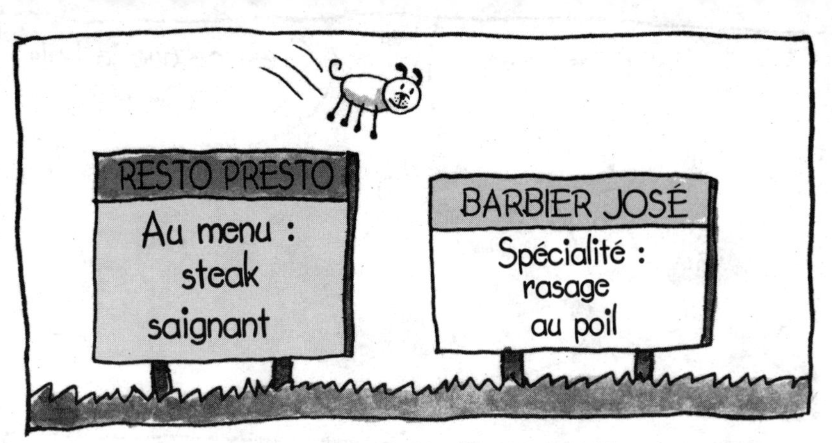
RESTO PRESTO
Au menu :
steak
saignant
BARBIER JOSÉ
Spécialité :
rasage
au poil

CRAC
CRAC
RESTO PRESTO
Au menu :
steak
saignant
BARBIER JOSÉ
Spécialité :
rasage
au poil

On fait un échange?
Hé!
BARBIER JOSÉ
Spécialité :
rasage
saignant
RESTO PRESTO
Au menu :
steak
au poil

Hé, le flo, tu es sensé détruire le monde!
C'est ce que je fais, shérif Crotteau.

Pas vrai... Tu niaises comme d'habitude.
Et arrête de m'appeler comme ça!
Hi-hi

Entre-temps chez les Héroux...
Déchets

Mme Héroux faisait la vaisselle quand elle a apersu quelque chose d'horrible.

Chéri, il y a une fourmi géante dehors.
Les femmes ont vraiment peur de tout!

Ne t'en fais pas, ma chérie. Je vais la tuer pour toi.

AAAAAAH!

UNE BIBITTE! UNE BIBITTE! UNE BIBITTE!
?

MOI TUER BIBITTE POUR PAPA

Alors, Bobby a mis sa doudou autour de son cou...

et s'est envolé!
BOBBY, NE SOIS PAS UN HÉROS!
Ne risque pas ta vie.

CRRRR-
RAC

TOURNE-O-RAMA Nº 6

Main g

Qui a peur
de la grosse bibitte?

Pouce
droit

Qui a peur
de la grosse bibitte?

TOURNE-O-RAMA Nº 7

(pages 73 et 75)

N'oublie pas de tourner seulement
la page 73.

Assure-toi de bla, bla, bla.
Tu n'as pas vraiment
l'intention de lire cette page, hein?

Eh bien, puisque tu es là, que dirais-tu
d'une farce déguelace?

Q : Quelle est la différence
entre les crottes de nez et le brocoli?

R : Les enfants
ne veulent pas
manger de brocoli.

Main gauche

Ça va brasser!!!

Pouce droit

Ça va brasser!!!

TOURNE-O-RAMA Nº 8

(pages 77 et 79)

N'oublie pas de tourner seulement la page 77.

Comme personne ne lit ces pages, on s'est dit que ce serait une bonne place pour mettre des messages sublimininaux :

Pense par toi-même.
Remets l'autorité en question.
Lis des livres interdits!
Les enfants ont les mêmes droits constitutionnels que les grands!!!

N'oublie pas de boycotter les tests standardisés!!!

Main gauche

Attention, Bobby!

Attention, Bobby!

Espèce de bébé stupide!!!
C'est la dernière fois que tu joues avec mes ners!
Hé, c'est rien qu'un enfant. Vas-y mollo!!!

Pas question! Si je peux pas avoir de superpouvoirs, il n'en aura pas lui non plus!
Mais attends...
Centrale nue cléaire
Plus de 2 millions de mutants

REMARQUE

Avant de tourner cette page, commence à fredonner une toune héroïque tripante (tout haut).

HAN HAN HAN

Non, mais...
ZIP

ASSIS... RESTE... MÉCHANT CHIENCHIEN!!!

CLAC!

Hé!

AAAAH!
SNIP

AU SECOUOUOUOUOURS

Bon chienchien!
PLOUF
OK, TU PEUX ARRÊTER DE FREDONNER.

BÉBÉ SUPER-COUCHE

CHAPITRE 4
Vive le chien Couche!

Le chien Crapule a donc ramené Bobby chez ses parents.

Et si on lui mettait une couche?

Hum...
Ça pourrait aller.

Et c'est ainsi que le chien Crapule est devenu le chien Couche...
Hi-hi
Doudou pour pitou.
Tiens, voilà une autre couverture.

Un nouveau duo contre le crime venait de naître.

MAIS...
Entre-temps, à la centrale nue cléaire, quelque chose de terrible arrivait au shérif Crotteau.
Appelez-moi pas comme ça!

À cause des radiations nue cléaires, son corps grandissait…

… et grandissait…

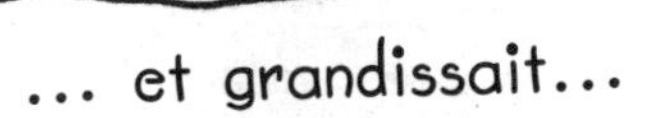
… et grandissait…

… jusqu'à ce que tout d'un coup…

Attends que je t'attrape, Bébé Super-couche… toi pis ton p'tit chien!
Tu sais, j'ai déjà vu du monde marcher sur du caca, mais j'ai jamais vu du caca marcher sur du monde!
C'est bizarre la vie parfois.

Entre-temps
chez les Héroux...
Je vais chercher le dessert.
BOUFFE

Regarde là-haut dans le ciel.
C'est une crotte!
C'est un avion!

... Non, attends. Tu as raison... C'est une crotte.
BOUFFE

À la vitesse de l'éclair, nos héros ont attaché leur doudou autour de leur cou...

... et se sont envolés.

Moi donner clac au monsieur caca.
Non! Attends!

N'y touche pas! Il a absorbé toutes les radiations nue cléaires de la centrale.
Tu vas muter!

Comment donner
clac à lui?
Je réfléchis.
Je réfléchis...
CRAC

Raté!
C'est
passé près!
OUICHE

Hé, je l'ai!!!

La seule façon de le battre...
c'est de l'amener à se battre lui-même!

Mais il faut faire vite!
ZIP
TOURNE-O-RAMA N°9

Main gauc

« Cogne-crotte »

Pouce droit

« Cogne-crotte »

TOURNE-O-RAMA Nº 10

Main gauch

Le blues du mal de bloc

Pouce droit

Le blues du mal de bloc

Dépêche, le flo. Grouille-toi!

Papier de toilette Robert

CRAC
Désolé, Robert.
Papier de toilette Robert
Hé!

TOURNE-O-RAMA Nº 11

Main gauche

Et tourne et tourne...

Pouce droit

Et tourne et tourne...

Allez. Il faut se débarrasser de cette crotte géante!
Où amener lui?

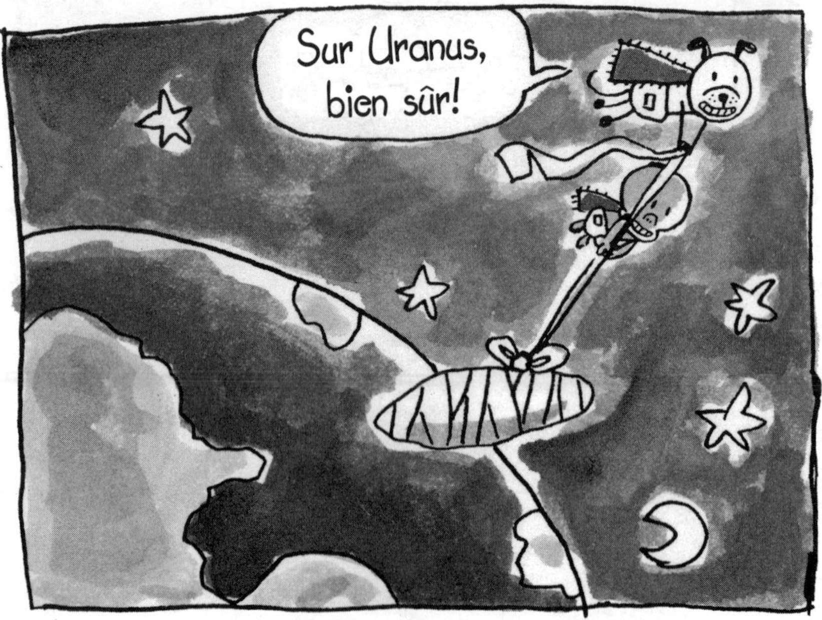
Sur Uranus, bien sûr!

CHAPITRE 5
Tout est bien qui finit bien

Bon,
nous voici.
Bienvenue sur
URANUS.
Ne riez pas de
notre nom s.v.p.

Adieu,
shérif Crotteau!
Bye
bye
BAM
Appelle-moi pas
comme ça!

Sur le chemin du retour, nos héros arrêtent prendre un jus sur la planète Mars.

Pourquoi toi acheter ce jus?
AL VAN PROUTTE
Je dois arranger les choses sur Terre!

TERRE

NETTOYEUR AUX VIEILLES BOBETTES
Bienvenue aux superhéros

CRAC
JUS POUR SUPERPOUVOIRS

JUS POUR SUPERPOUVOIRS
Cale ça, mon homme!
Ha ha bobettes

KA-POW
Couvre tes yeux, le flo!

J'ai retrouvé mes superpouvoirs! Tu es un bon chienchien en fin de compte!!!
Ben oui, qu'est-ce que tu veux!

DERNIER TOURNE-O-RAM

Main gauche

Et ils vécurent très heureux

Pouce droit

Et ils vécurent
très heureux

LA

FIN

COMMENT DESSINER BÉBÉ SUPER-COUCHE

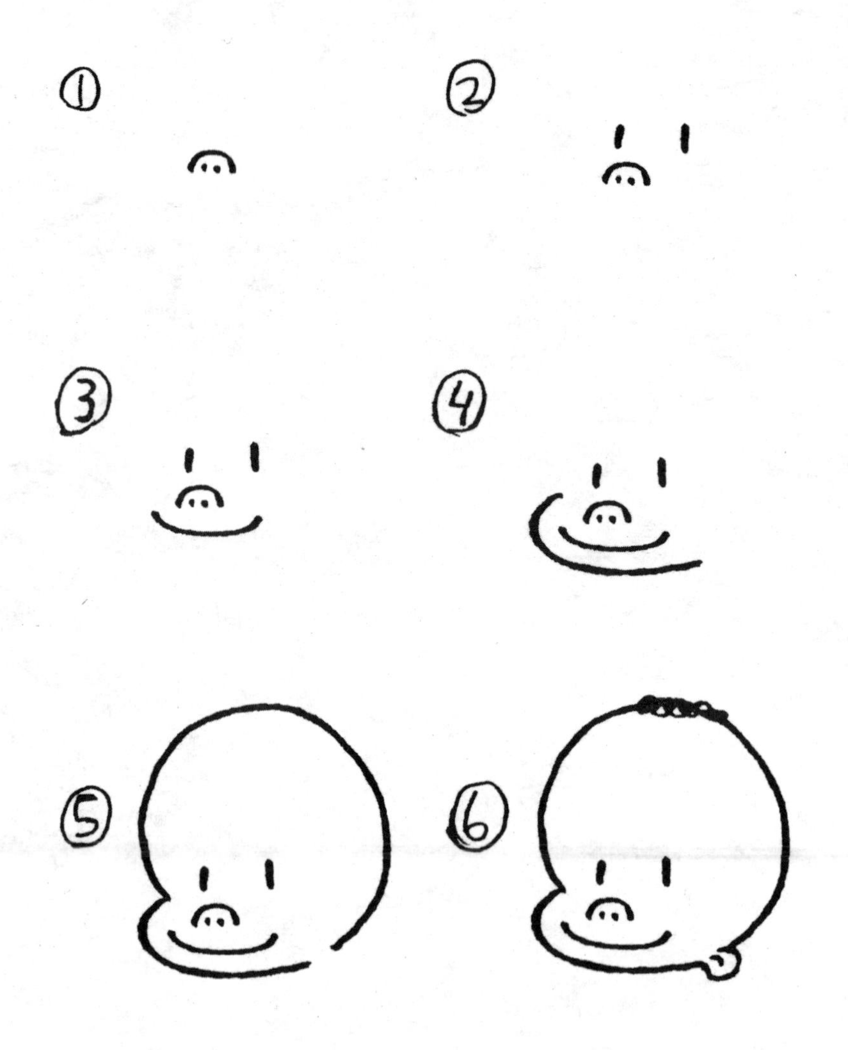

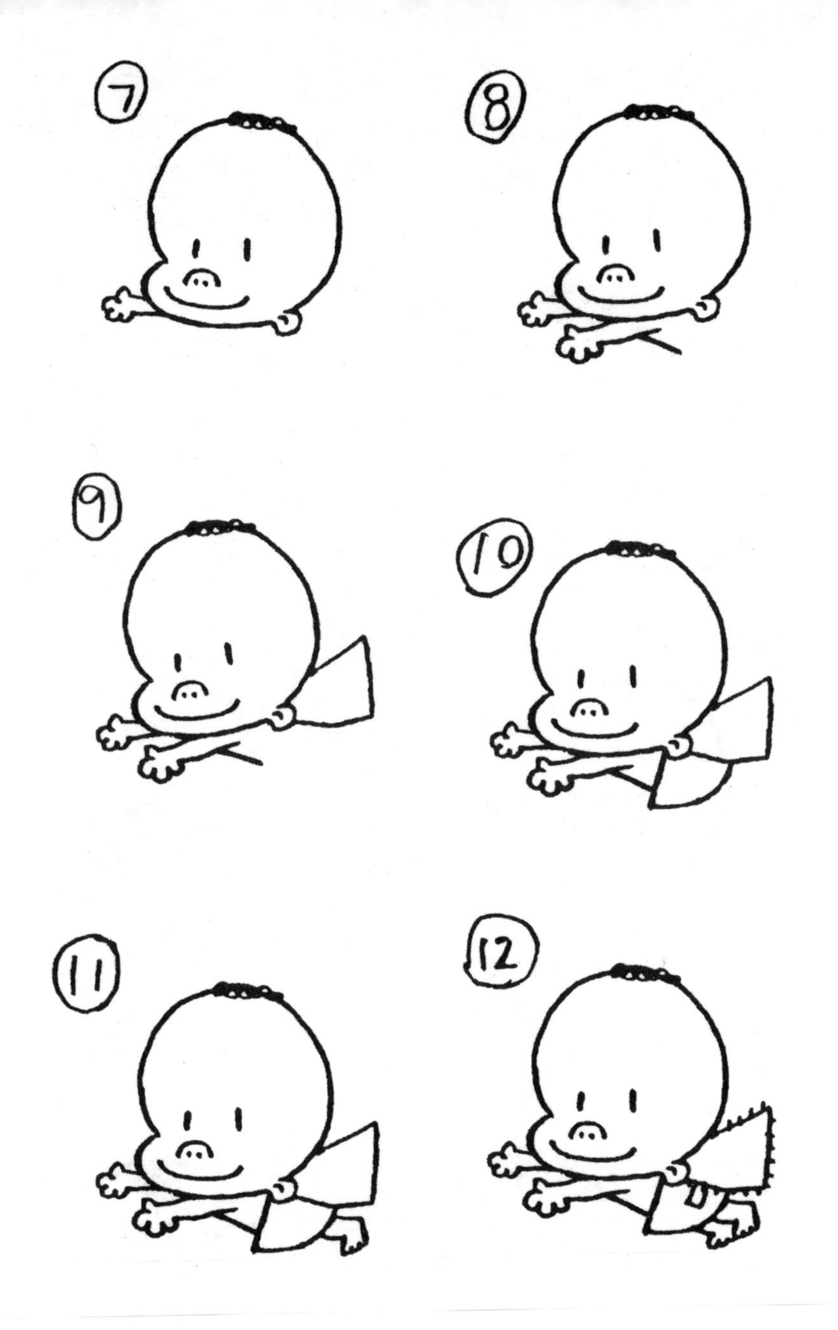
7
8
9
10
11
12

COMMENT DESSINER LE CHIEN COUCHE

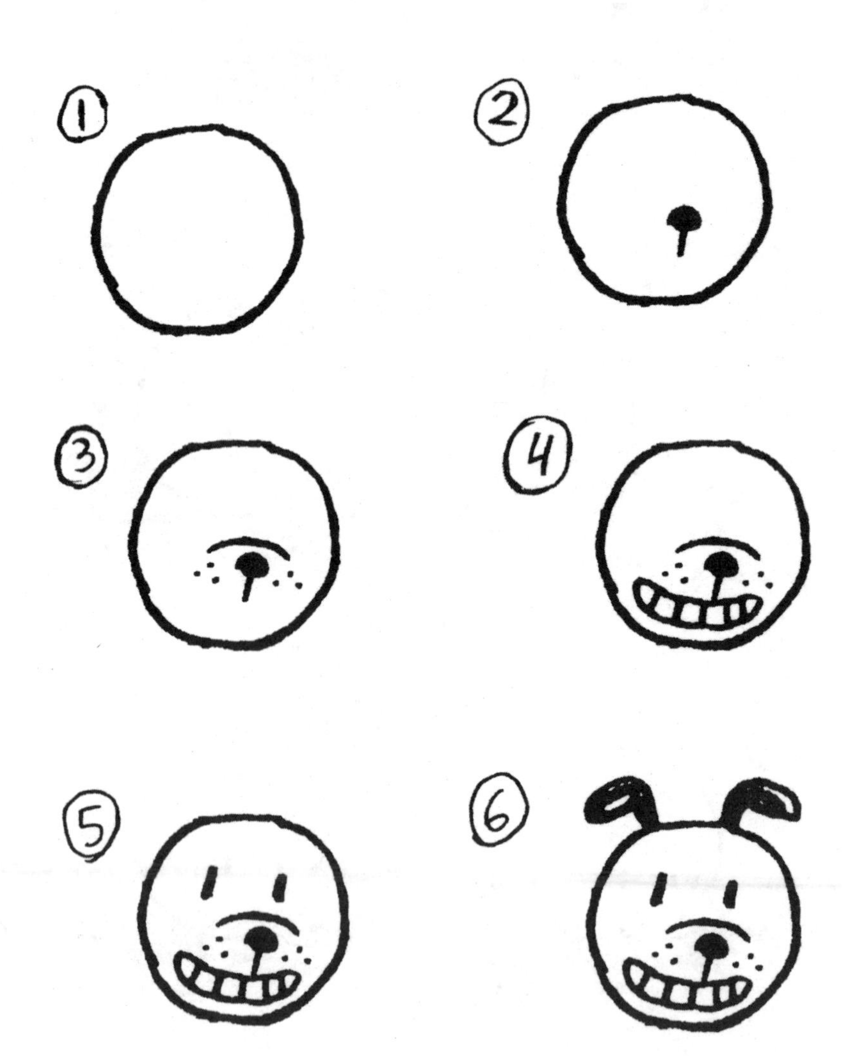

7
8
9
10
11
12

COMMENT DESSINER LE SHÉRIF CROTTEAU

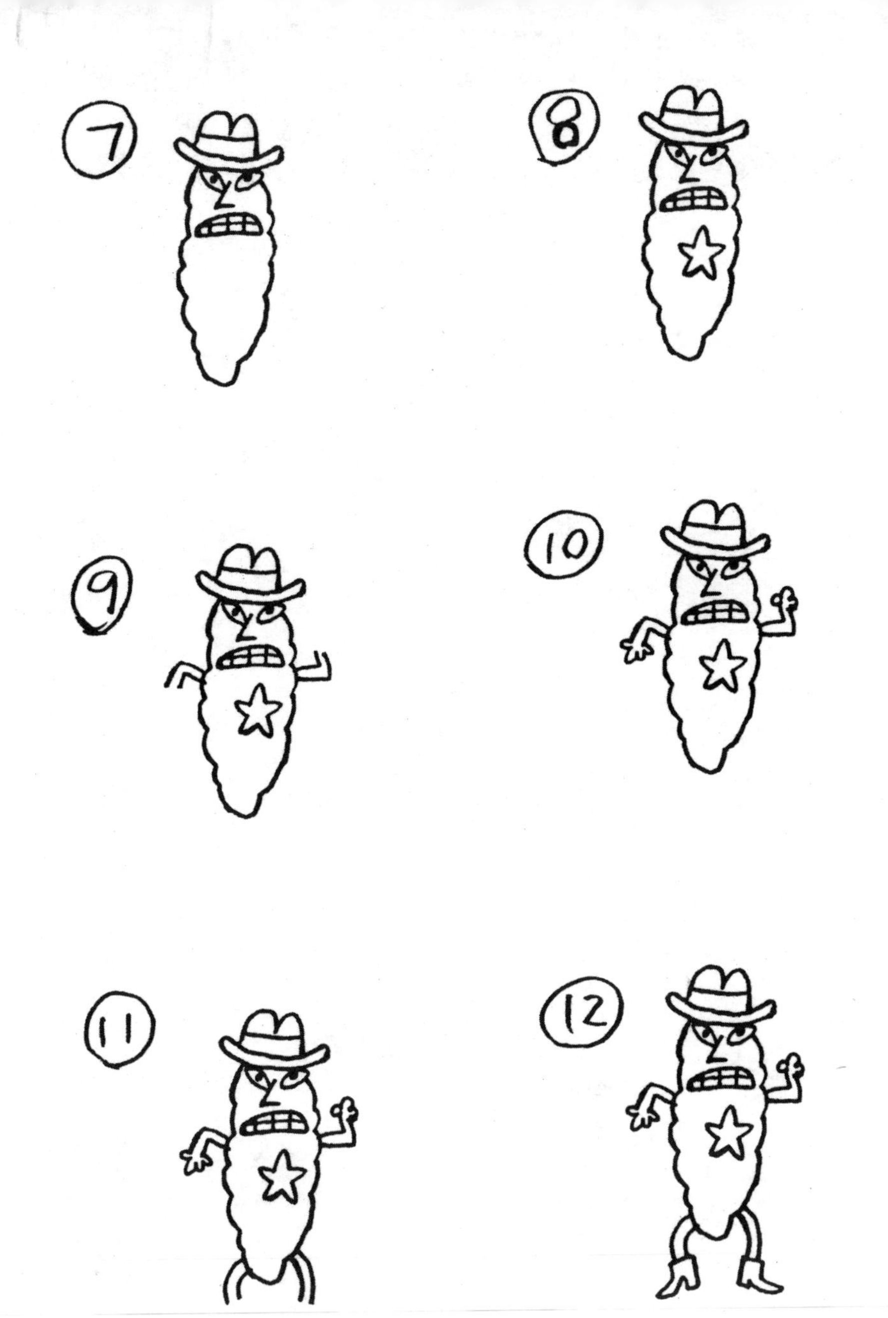
7
8
9
10
11
12

COMMENT DESSINER LE ROBO-FOURMI 2000

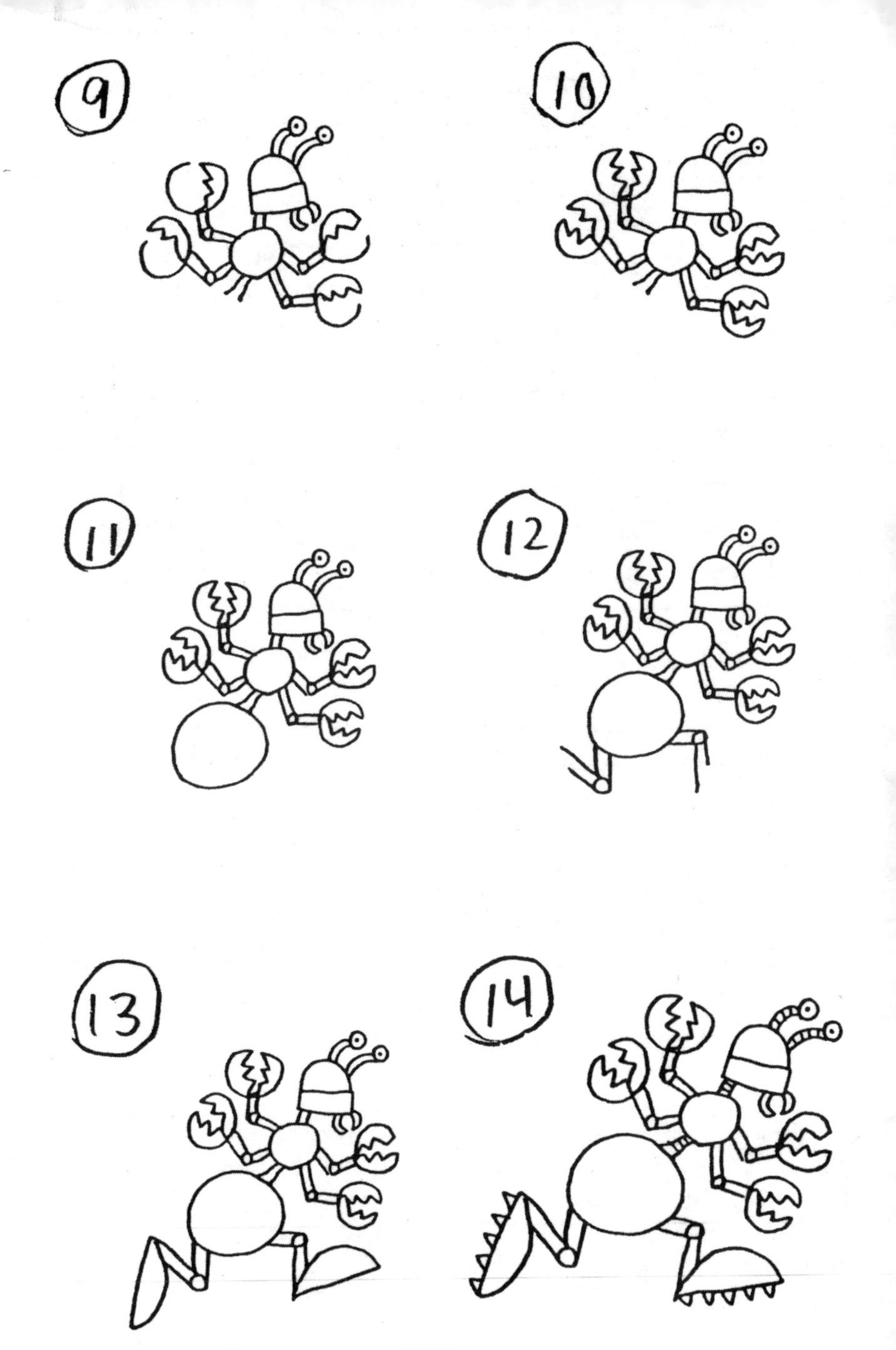
9
10
11
12
13
14

QUELQUES MOTS SUR L'AUTEUR ET L'ILLUSTRATEUR

GEORGES BARNABÉ (9 3/4 ans) est le cocréateur de merveilleux personnages de bandes dessinées tels que le capitaine Bobette, Bola la toilette parlante et l'incroyable femme-panthère.

En plus de ses bandes dessinées, Georges aime faire de la planche à roulettes, regarder la télé, jouer à des jeux vidéo, faire des coups pendables et sauver le monde. Aliment préféré : les biscuits aux brisures de chocolat.

Georges habite avec sa maman, son papa et ses deux chats, Bouboule et Sarrasin. Il est en quatrième année à l'école Jérôme-Hébert de Saint-Haut-des-Heureux, Québec.

HAROLD HÉBERT (10 ans) a coécrit et illustré plus de 30 albums de bandes dessinées avec son meilleur ami et voisin, Georges Barnabé.

Quand il n'est pas en train de faire des bandes dessinées, Harold a l'habitude de dessiner ou de lire des p'tits comiques. Il aime aussi faire de la planche à roulettes, jouer à des jeux vidéo et regarder des films de monstres japonais. Aliment préféré : la gomme.

Harold habite avec sa maman et sa petite sœur Heïdi. Il a cinq poissons rouges : Bubulle, Glouglou, Floc, Dr Horace et « Supercrocs ».

ON S'EXCUSE!!!